Martes terrible

Terrible Tuesday

Hazel Townson · Tony Ross

Para mi nieta Victoria Jane Hindle, nacida el 9 de agosto de 1984. (H.T.)
Para Philippa. (T.R.)

Título original: *Terrible Tuesday*

© Del texto: Hazel Townson, 1985
© De las ilustraciones: Tony Ross, 1985
Publicado en Gran Bretaña, en 1985, por Andersen Press Ltd.
© De la adaptación del texto original: Grupo Anaya S.A., 2005
© De la traducción: Gonzalo García, 2005
© De esta edición: Grupo Anaya, S.A., 2005
Juan Ignacio Luca de Tena, 15. 28027 Madrid
www.anayainfantilyjuvenil.com
e-mail: anayainfantilyjuvenil@anaya.es

Primera edición, octubre 2005
Segunda impresión, mayo 2006

ISBN: 84-667-4743-5
Depósito legal: Bi-1.273/2006

Impreso en GRAFO, S. A.
Avda. Cervantes, 51 (DENAC)
48970 Ariz-Basauri (Vizcaya)
Impreso en España - Printed in Spain

WE READ LEEMOS
EN INGLÉS
Y CASTELLANO

Martes terrible

Terrible Tuesday

Hazel Townson
Tony Ross

ANAYA
ENGLISH

Teo juega a ser un avión. Cuando cruza el recibidor
zumbando, oye a su mamá hablar por teléfono.

Terry is pretending to be an aeroplane. As he zooms through
the hall, he hears his mum talking on the telephone.

–¡El martes será TERRIBLE! –dice–. ¡Me entra pánico
de pensarlo! ¡No te creerás lo asustada que estoy!

«Tuesday will be TERRIBLE!», she says. «I'm dreading it!
You will not believe how scared I am!».

Teo sale zumbando al jardín. Allí hace un aterrizaje forzoso sobre la hierba y se queda pensando por qué el martes va a ser tan terrible.

Terry zooms out into the garden. There he crash-lands on the grass and lies wondering why Tuesday is going to be so terrible.

¿Cerrarán todas las tiendas, el martes?

¡Qué estupendo escapar de las aburridas colas!

Will all the shops be closed on Tuesday?

How nice to escape the boring queues!

Pero será terrible si no hay ningún postre o helado...
solo comida sencilla, de la de cada día.

But it will be terrible if there are no sweets or ice-cream
–only plain ordinary food.

¿Vendrán unos ladrones y robarán todos los muebles,
el martes? De todos modos, algunos están viejos y gastados.
Mi habitación está llena de trastos viejos.

Will robbers come and steal all the furniture on Tuesday?
Some of it is old and shabby anyway.
My room is full of old things.

Pero, desde luego, será terrible no tener cama, ni sillas,
ni paragüero.

But it will be terrible to have no bed, no chairs
and no umbrella-stand.

¿Alguien va a raptarme A MÍ, el martes?, piensa Teo.
Está ansioso por vivir una aventura, con todo el mundo
persiguiéndole.

Is someone going to kidnap ME on Tuesday?, thinks Terry.
He really wants to have an adventure, with everyone
chasing after him.

Pero será terrible si papá y mamá tienen que arreglárselas
sin él.

But it will be terrible for Mum and Dad to have to manage
without him.

¿Habrá una inundación, el martes? Teo piensa que el agua es divertida, pero sabe que su madre no ha aprendido a nadar.

Will there be a flood on Tuesday? Terry thinks water is fun, but he knows his mother can not swim.

A ella le parecerá terrible si su cara se hunde bajo el agua.

She will think it's terrible if her face goes under water.

¿Unos atracadores están planeando asaltar el banco de papá, el martes? Papá puede capturarlos y ser un héroe. Qué divertido, ¡ver a tu propio padre en las noticias de la televisión!

Are thieves planning to rob Dad's bank on Tuesday?
Dad can catch them and be a hero.
What fun, seeing your own dad on television news!

Pero será terrible si los atracadores atan a papá a la pata de una mesa y lo amordazan con un trapo del polvo.

But it will be terrible if the thieves tie Dad to a table-leg and gag him with a duster.

¿Entrará una bruja volando por la ventana y se quedará
a vivir en el desván, el martes? Teo quiere hacerse amigo
de una bruja y aprender unos conjuros.

Will a witch fly in through the window and make her home
in the loft on Tuesday? Terry wants to make friends
with a witch and learn spells.

Pero será terrible si convierte a la familia en sapos.

But it will be terrible if she turns the family into toads.

¿Se escapará un tigre salvaje del zoo, el martes?

Teo piensa que es una lástima tener a los tigres en jaulas.

Will a wild tiger escape from the zoo on Tuesday?

Terry thinks it is a pity to keep tigers in cages.

Pero será terrible echar un vistazo por la esquina
y encontrarse a un tigre mirando hacia ti.

But it will be terrible to peep round a corner
and find one peeping back.

¿Hay un fantasma que ha dormido en el sótano durante un siglo, y va a despertarse el martes? Teo quiere jugar con un fantasma y aparecerse junto a él.

Is there a ghost sleeping in the cellar for a hundred years, and is he going to wake up on Tuesday? Terry wants to play with a ghost and help with a haunting.

Pero será terrible si sus padres se asustan tanto
que salen huyendo.

But it will be terrible if his parents get so scared
that they run away.

¿Van a aterrizar unos marcianos en el jardín, el martes?
Será divertido ver si se parecen a robots o a gelatinas
temblorosas.

Are some Martians going to land in the garden on Tuesday?
It will be fun to see whether they look like robots or wobbly
blobs.

Pero será terrible si de repente te encuentras a medio camino de la Luna.

But it will be terrible if you suddenly find yourself halfway to the moon.

¿Se espera un tornado para el martes?
Un tornado produce un silbido maravilloso.

Is a whirlwind coming on Tuesday?
A whirlwind makes a wonderful whoosh.

Pero será terrible ver cómo todos tus juguetes favoritos salen volando hasta el quinto pino para siempre.

But it will be terrible to watch all your favourite things blow far away, for ever.

¿El cielo va a venirse abajo, el martes? Bueno, el Sol, la Luna, las estrellas y las nubecillas blancas y esponjosas quedarán bien en el jardín, sobre los tallos y las ramas.

Is the sky going to fall on Tuesday? Well, the sun, moon, stars and little white fluffy clouds will look good in the garden on stems and branches.

Pero será terrible tener una Nada gigantesca sobre la cabeza,
como un bol enorme, vacío y puesto del revés.

But it will be terrible to have a great Nothing overhead,
like a huge, empty upside-down basin.

Hoy es el martes terrible. Teo se siente emocionado. ¡Este es EL DÍA! Hoy sabrá cuál va a ser el acontecimiento terrible. Pero todo lo que ocurre es que sus primos favoritos vienen a merendar.

Today it's Terrible Tuesday. Terry is feeling excited. This is THE DAY! Today he will know what the terrible happening is going to be. But all that is happening is that his favourite cousins are coming to tea.

Otros títulos publicados en esta colección:

Odio a mi osito de peluche
I Hate My Teddy Bear

David McKee

La triste historia de Verónica
The Sad Story of Veronica

David McKee

La culpa es de Óscar
Oscar Gets the Blame

Tony Ross

Ahora no, Bernardo
Not Now, Bernard

David McKee

Nica
Nicky

Tony y Zoë Ross